사랑을 풀이하세요

오혜원

사랑을 풀이하세요

발 행 | 2024년 03월 15일
저 자 | 오혜원
펴낸이 | 한건희
펴낸곳 | 주식회사 부크크
출판사등록 | 2014.07.15.(제2014-16호)
주 소 | 서울특별시 금천구 가산디지털1로 119 SK트윈타워 A동 305호
전 화 | 1670-8316
이메일 | info@bookk.co.kr

ISBN | 979-11-410-7657-3

www.bookk.co.kr

사랑을 풀이하세요

오혜원

사랑을 풀이하세요

오혜원

잡문집

나는 사랑 앞에서 얼마나 용감했었지.

사랑이 무수한 날들 안에서 그 사랑만이 하루를 살게한 날들을 떠올려본다. 무엇이 맞는지, 아닌지도 모르면서 그저 사랑하고 있다고 외쳤던 날들을.

네가 하는 사랑이 틀렸다고,
내가 하는 사랑이 맞다고 함부로 단언했던 날들을.

나는 계속 네 주위를 돌 거야.
떠나는 법을 모르는 사람처럼
그 자리에 있을 거야.

2024년 3월 오혜원

목차

● 사랑 편지

● 짧은 소설

작가의 말

속절없이 흐르는 계절의 날씨를 온몸으로 느끼고 있다. 계절이 가는 것은 나의 시간도 똑같이 가고 있다는 뜻이다. 마음대로 가고 마음대로 다시 돌아온다. 돌고 돌아 원래의 나로, 천천히 돌아온다.

걸어가는 길에 끝이 없다고 생각했지만, 끝이 보이지 않는 터널을 치열하게 굴러서 도착한 지점엔 언제나 탈출구가 기다리고 있었다. 그 문을 넘어서기까진 열렬히 싸우는 것밖에 몰랐다. 열심히 구르는 것밖에 몰랐던 시절이 나에게도 분명히 있었다는 뜻일 것이다.

요즘은 사랑에 대한 감정을 탐구하는 일에 빠졌다. 누군가를 좋아한다는 것. 누군가를 소중히 대한다는 것. 나는 점점 그런 감정에 대해 자세히 배워가고 있다.

사랑은 가장 쓸모없는 감정 같다고 여길 때가 있었다. 그럼에도 불구하고 사랑은 사랑을 일으킨다. 잠깐일지도 모르는 영원을 꿈꾸게 한다. 사랑은 그렇게나 위대하다. 사랑은 문장으로 담을수록 더 아름답다. 더 예쁘다. 위기를 희망으로 꿈꾸게 한다.

나는 앞으로 어떤 사랑을 하는 사람이 될지 모르지만, 사랑 앞에서만큼은 늘 솔직하고 대범한 사람이 되었으면 좋겠다. 사랑이 주는 약함을 예뻐하고, 그 사랑을 오랫동안 잘 지켰으면 좋겠다. 나는 그런 마음으로 여전히 글을 쓰고 있다. 사랑과 글은 참 비슷한 모양을 하고 있는 것 같다. 그 앞에서 나는 자주 약하고 자주 강해진다. 그 마음으로 계속해서 글을 쓴다.

2024년 3월 오혜원

사랑 시

낭만 여름

투명한 감정이 두 볼을
조용히 지나다녔다

초록의 식물들은 자꾸만
내 마음이 되었고
무수한 별들을 마주한 새벽이
난데없이 좋아졌다

끝없이 쏟아지는 햇볕의 뜨거움을 잊고
저녁의 지는 노을은 한없이 아름답고
마음은 계절과 비슷한 모양을 하고
여름의 태양 아래에서
사랑을 넌지시 불러보고

서로를 닮은 노래를 듣다보면
따뜻한 마음이 어깨 위로 쏟아져내렸다

광활한 도시의 낭만은
우리의 여름에 내려
수많은 사랑을 노래했고

무르익어가는 여름 속의 너를
어쩌다 사랑하게 된 건지

사랑을 풀이하세요

가느다란 마디와
살구를 닮은 뺨의 온기
네 몸에선 여름의 풀 향기가
가득 풍겼고

납득이 가지 않는 날이었다
자꾸만 네 손에
내 사랑을 쥐여줘야 한다니
간절함 같은 건 없는 거야?
응
그래
모든 것을 상실한 사랑

손톱만 한 조개들을 선물해 줄까
나는 네 옆에서 뭐든 줄 수 있어
~~맞다~~

~~너는~~
~~자꾸만 도망가는 사람이었지~~

파스텔 색깔의 조개들
모래 위의 오래된 방랑인
남겨진 마음을 밥상 위 반찬처럼
입안에 욱여넣었다
내 마음을 파먹을 거야
마음은 남겨지기 쉬운 거니까
~~사라졌으나사라지지않은 것~~

사랑이 만개한 해변의
여름을 지우는 게 어떻게 가능해
사랑 말고는 없었던 여름을

크리스마스

가끔은 너였다가
꿈속의 너로 좌절했다가
너를 버리려고 했다가

너만 떠올리면
엉성하고 불규칙한 마음이 들었다
뭐가 그렇게 겁나
마음이 썩어버리기라도 하니

이건 겨울의 꿈이야
네가 사랑한 크리스마스 트리는
서랍 속 일기장에 있어

너한테선 포도 향기가 났다
그 향기엔 지루함이 없었다
언젠가 지겨워져도
나는 사랑한다고 말하겠지

햇빛도 없는데 따가운 마음이 들었다

소란

너의 가난한 얼굴을 봤다
부산한 날씨였다
표정엔 말이 많고 목소리엔 크기가 없다
마치 오래된 절망이 네 우주 같고

체리 사탕 냄새가 번져갔다
베개 맡엔 공허한 빈 껍질이

여생에 시간을 구겨넣고
삶에 구원을 찾는 인간들의 말을 믿지 마
이 고요의 불안은 금세 지나갈 거야

나약함 앞에서
자주 용감해질 테니까

사랑해란 꿈

사랑은 어떤 감정도
꿈꾸게 하는 것 같아요
없으면 보고 싶고
있어도 보고 싶은 것처럼

사랑과 나를 분리하는 것
내 마음처럼 안 되는 걸요

선생님
저는 사랑 앞에서 자꾸만 울어요
저는 사랑이 뭔지 모르겠어요

.

네

사랑은

얼마나

많은

절망을

견뎌내게

했는지

.

방랑

꿈이야 모든 게 흩어질 수 있는 좋은 변명이 되어버린. 너는 그런 핑계를 언제나 찾는 사람 이젠 의미 없는 꿈이기를 쉽게 버려지기를 때론 선택하지 않아 다행인 순간이 있지 어쩌면 이건 내가 만든 망상 그것도 아니라면 이건 안심하는 마음일 것을 가끔은 유치해서 애틋하기도 했던 너의 추신들 내가 너에게 두었던 마지막 마음 이젠 없어질 애정의 마침표 그대로 사라지게 두고 싶은 지우고 싶은 아무것도 아닌 순간으로 원한다면 전부

여름의 뚜렷한 꿈이었다 몸을 일으켰더니 몸의 전체가 욱신거렸다 눈을 깜빡거리고 어렵게 침을 삼켰다 나는 단번에 알 수 있었다 이건 아마도, 더 이상은 꾸고 싶지 않은 꿈. 다시 보고 싶지 않은 기억. 역시 지저분한 기분이 들었다 이런 마음도 모른 채, 너무나도 선명한 꿈을 꾸었다 무거운 몸으로 꾸역꾸역 밥을 먹었다 창밖으론 여름의 장마가 시작되었다는 것을 알 수 있었다 이러다 곧 끝이 나겠지 당연한 거기에. 이번 여름 안에서도 넌 계속되었고 이상한 마음이 낮게 출렁였다 가끔은 나의 고통이 되기도 했던 자잘한 기억들 결국 나만이 놓을 수 있는 것 나만이 버릴 수 있는 것 모든 꿈의 실패는 결국 만들어진 핑계. 할 수 있음에도 못할 것이란 두려움을 내세우던.

계속해서 여름의 장마가 이어졌다.

네 이름

네 이름을 발음할 때마다
왜인지 나는
벌거벗은 기분이 들었다

분명 우리는 멀어져 있는 거지?
그런데 너는 왜 아직도
여전히 내 꿈인 거야

말했었나 이 꿈을
버리고 싶다고

너는 나를 사랑했어?
그런 거면
너한테 사랑은 뭐야
사랑한다는 건 뭐야
너는 사랑해라는 말을 알았어?

묻고 싶어도 묻지 못하는 것들
안일하고 보고 싶은 마음이 들었다

그대로 두어야겠지
그런 체념들
그런 웃긴 마음들

버려도 버리지 못하는 것들이 있다
분리수거가 어려운 것들
마음대로 골라내지 못하는 것들

왜 네 앞에서만 나는 약한 거야
아무래도 너를 너무 사랑해서 그런 거겠지

환상통

사랑은 사랑을 잇는다 나는 희망을 노래하고 싶었는데 절망만 내 것 같아서. 거짓말이라고 믿었다 사랑이 세상을 바꾼다는 말을 그럼에도 그 거짓말을 사랑할 때가 있었다 사랑만으로 세상을 살았던 날들 너는 나에게 무엇을 원하니. 그냥 사랑만 줘. 나는 영원히 너만 떠올리다가 죽으려나 사랑도 모르면서 사랑은 너를 닮았다고 속삭이다가 추락하겠지

그럼 사랑을 하는 일은 병일까
그럼 나는 계속 사랑만 하다 죽을래

여름 감기

반복되는 날들에 탈이 났다
끊임없이 드는 마음의
공허함들은 사랑을
그 자리에 둘 수 없게 하고

사랑은 그대로인데
사랑을 줄 수가 없어서
지겹게 눈물이 났다

너 사랑이
완전하다고 믿었던 거야?
사랑은 원래 마음대로 되지가 않잖아
근데 너도 알았을걸

마음에 비해 사랑은
너무 변덕스럽다는 걸

어떤 마음

미끄
러지고
있
었
다

어디로부터야?
어딘가로부터
사랑이 말을 했다
너는 왜 자꾸
혼잣말을 하는 거야
측은한 표정을 지었다

아니
이건 혼잣말이 아니야
사랑 앞에서만
몰락하는 거야

빈 공간에 사랑을 흉내 내면
흘러내렸다가 또다시 자라났다가

사랑이라고 믿을 때가 있었는데
분명히

믿었던 건 사랑이 아닌 건지
사랑은 내 편이 아니었던 건지

나는
어떤 마음을 사랑했던 거지
~~도대체사랑은어떤마음인건지모르겠다~~

사랑 편지

사랑의 이유

언젠가 사랑에 대해 유심히 생각해본 계절이 있다. 어떤 마음이길래 이토록 수많은 감정을 만들어 내는 걸까.

나에게 사랑이라는 단어는 꽤나 낭만적이다. 사랑한다는 이유만으로 그 사람의 곁을 지킨다는 것은 그 사람의 충분한 평화를 바라기 때문일 것이다. 사랑하는 사람의 표정과 말투, 몸짓과 분위기를 더 알게 되는 일이기도 하다. 어떻게 보면 쓸데없이 거창하지만, 거창하기에 더 낭만적인 걸 수도 있다.

그 사람의 평안을 바라게 되는 것. 나만큼이나 소중해지는 것. 언제나 보고 싶은 것. 그 사람의 이야기를 자꾸만 듣고 싶은 것. 나는 그런 것들이 어릴 적엔 단순히 그 사람의 안부가 궁금해서였다고 생각했는데, 어쩌면 그것은 사랑에서 오는 특별한 마음일지도 몰랐다.

사랑은 그렇게 계속 무언가를 천천히 두는 것이다. 그 사람이 조금이라도 더 잘 잤으면, 내일 일어났을 땐 홀가분한 마음으로 깼으면, 조금 더 잘 챙겨먹고 따뜻하게 입었으면, 서로가 좋아하는 것들을 오랫동안 함께 했으면, 하는 것들.

사소한 것들을 서로의 삶에 쥐어주는 것만으로 그 사랑을 더 크게 만들기도 한다.

화원

네가 내 생을 얼마나 바꾸는지.
절망을 긍정으로,
더 나아가기 위함의 순간들을.

삶은 투박하고 아름다운 순간들의 연속이야.
살면서 우리가 얼마나 많은 절망들을
마주할지 모르지만,
난 네가 있어서 견딜 수 있어.
너는 나에게 그런 애틋함을 주고,

너의 얼굴을 오랫동안 바라보고 싶어.
그럴수만 있다면.

사랑으로

사랑은 사랑할수록 더 거대해지는 거래. 그럼 사랑은 우리에게 치유의 대상일까? 사랑의 의미를 하나로 단정 지으라고 물으면 나는 아직도 모르겠어. 사랑 앞에서는 끝없이 자유롭기도, 작아지기도 하니까. 그런데도 우리가 사랑을 사랑이라 부르는 이유는 뭐라고 말할 수가 있을까. 어쩌면 그 어느 것보다 단순하지 않을 것일지도 모르겠다.

사랑은 사랑으로.

조금 더 멀리서 바라봐야지, 하면서도 몸은 멀리가지 못하고 가까이 있고 싶고 그랬어. 특히 내가 그 대상을 너무 좋아하게 되면, 나만큼이나 사랑하게 되면 더 주고 싶고 그랬다는 뜻이야.

사랑은 어디까지 유치해질 수 있는 걸까.

그저 마음인데도 사랑 앞에선 늘 약해졌다는 거야. 어느 것도 함부로 단언할 수 없는 것이 사랑인 걸까. 나는 아직도 사랑에 대해 함부로 말할 수 없지만, 사랑 앞에선 모든 게 거대해질 때가 있었어.

향

온전한 행복을 찾기는 언제나 어렵다. 어쩌면 나의 오래된 숙제 같은 거랄까. 잡으면 도망가고 껴안으면 금세 불안해지는 그런 것. 해마다 찾아오는 나의 가을은 언제나 슬프다.

이제는 더 이상 없는 너를 떠올리면 모든 게 서러워진다. 이유를 알 수 없어서 슬프고, 더 이상의 원망도 싫어서 운다. 그러다 편안히 잠든 너의 얼굴을 떠올리면 지금의 시간을 열심히 살 수밖에 없게 한다. 누군가의 발걸음도 흉내내지 않고, 힘차게 달려가던 너.

누구보다 아름답던 그 젊음이 이대로 끝나지 않기를 바라니까.

특별한 사랑은 그 어떤 것과도 비교할 수 없는 것이어서 매번 저린 걸까. 난 그 마음을 잊을 수가 있을까. 그러기엔 이 거대한 중력 앞에서 너무 자주 쓰러진다. 네 사랑 앞에선 나약함이란 감정이 너무나 싫다. 그 사랑을 보답하기엔 지금의 내가 너무 늦었다는 것을 안다.

단념은 언제나 어렵고 내가 사랑하는 너도 저 멀리에 있다.

애정 편지

언젠가 그런 말을 했었어.

몇 번이고 무너졌어도 너에겐 또다시 이겨낼 강인함이 있다고. 너의 이름을 자주 잊고 살아가는 현재 속에, 너를 아는 내가 있다는 걸 잊지 말라고. 너는 그 말을 몇 번이고 곱씹었다고 했어. 난 그 말을 몇 번이고 떠올릴 순간이 너에게 오지 않길 바랐어. 네 이름마저 잊게 되는 순간이 자주 오지 않길 바랐어. 너 혼자서 우는 날이 많지 않기를 누구보다 바라는 사람이니까.

자꾸만 지치고 무너지고 싶을 때마다, 너여서 해낼 일들이 꾸준히 있다는 걸 계속해서 알려줄게. 그러니까 혼자서 너무 오랫동안 울지 마. 끝이 없을 거라는 말은 하지 마. 해낼 수 없을 거라는 말로 너에게 절망을 알려주지 마.

내가 다 알지 못할 너의 감정에 비하면 내 사랑은 정말 아무것도 아니지만, 앞으로 펼쳐질 네 세계의 힘은 이 사랑을 의미 있게 만들기도 하네. 넌 결국 절망보다 기쁨을 더 아는 사람이 될 거라는 얘기야. 네가 부족해서 해내지 못할 일들은 없을 거라는 얘기야. 너는, 네가 아는 너보다 더 충만한 사람일 거라는 얘기야.

어쩌면 이 편지를 쓰며 느꼈어. 우리는 아무것도 아닐 수 있는 이 사랑을 계속해서 믿게 될지도 모른다고. 결국엔 대단한 게 되어버릴지도 모른다고.

식물의 날

불규칙한 음률을 가진 재즈를 들으며 푸른빛이 가득한 아침을 상상해. 창가엔 단단한 햇볕이 내리쬐고, 정돈되지 않은 전깃줄 위엔 작은 참새들이 걸터앉아 있을 거야. 그러곤 청록색 공병 안의 달콤한 청귤 티백 하나를 꺼내 들 거야. 입안이 가득 데워질만한 온도로 끓어오른 물을 가장 아끼는 유리잔에 천천히 옮겨 담겠지. 나는 가끔 정신없는 하루의 유일한 여유를 가장 먼저 음미하는 사람이 되고 싶거든. 내가 바라는 아침의 시작 중에 가장 근사하고 아름다운 일 같아. 흔하지만, 흔하지 않은 일생의 잠깐이 결국엔 소중한 일이 되리라고 믿는 편이기 때문이야.

속도를 제어하지 못하는 조바심에 대해 생각해 본 적이 있니? 나는 요새 그런 하루들 속에 자주 살았던 것 같아. 왜 그럴 수밖에 없었을까. 긴 하루 동안 곰곰이 생각해 봤어도 제대로 된 답을 얻긴 어려웠어. 어쩌면 물론일 거야. 스스로가 만들어 낸 마음들의 정답을 알았다면, 우리가 이렇게 힘겨워하면서까지 좌절을 자주 만날 일이 있었을까? 모든 마음엔 정해진 결과가 없기 때문이야. 그렇다면 그 마음을 가진 나를 원망할 이유도 없다는 걸 테고. 더 이상은 네가 너에게서 도망가지 않아도 괜찮아.

한 발짝 가까워진 봄과 여름의 시간에는 조금 더 걷고, 힘껏 달려봐도 좋아. 그런 너를 힘껏 사랑해 봐도 좋아.

비행

단단한 내가 되기 위해서 전속력으로 달렸던 시간들을 그려본다. 거침없이 다가오는 슬픈 순간들은 힘차게 달려가는 우리를 얼마나 주춤거리게 했는지 모른다. 왠지 그 순간을 떠올리면 그 시간 속의 내가 너무나도 애틋해진다. 스스로에게 지지 않기 위해 속으로만 울음을 참아낸 시절이 미안해져서. 행복을 기대하는 것이 어쩌면 당연한 일인데도, 그 마음을 나는 자꾸만 미워하기만 해서.

수많은 밤들의 베개가 축축해지고서야 울지 않고도 잠들 수 있는 밤을 만났다. 결과적으로도 그때의 내가 스스로를 얼마나 폭력적으로 대했는지 알 수 있었다. 이제는 순간 속의 나를 미워하지 않는다. 당연히 스스로를 엄하게 대하지도 않는다는 이야기일 것이다. 해내고 있는 일들이 조금씩 버겁게 느껴질 때도 있지만, 이제의 나는 그럴 때마다 내가 사랑하는 얼굴들을 보게 된다. 그러면 나는 무엇이든 할 수 있을 것만 같다. 무엇이 되지 않아도 괜찮을 것만 같다.

우리는 끝없이 항해하는 삶 안에서 스스로에게 얼마나 관대하지 못했는지, 완벽하지 못해 아쉬워 한 밤들이 얼마나 많았는지, 그저 나여도 괜찮은 밤들이 있었는데, 그땐 왜 나여서 자꾸만 슬퍼했는지……. 온전히, 완전히, 천천히, 유유히…… 지금껏 바라온 삶의 균형에 잘 맞추어가는 내가 되어가고 있다고, 지금의 나는 그렇게 믿고 있다.

앞으로의 시간마저도 있는 힘껏, 온 힘을 다해 애쓰지는 않을 것이다. 최대한 천천히, 풍경도 돌아보며 산책하는 삶을 선택하고 싶다. 계속 그런 삶을 살아와서 그런 걸까? 누군가의 힘듦을 함부로 짐작하지 않고 있는 그대로 바라보고, 관계에 대한 유대감보다 관계의 거리감을 잘 유지하며 사적인 위로를 따뜻하게 주고 받고 싶다. 그렇게 누군가와 함께 천천히 걸어가고 싶다. 그저 지금의 나를 믿고, 지금의 나로 걸어가는 것만으로도 용기 있는 일이지 않나. 온 힘을 다하지 않고도, 애쓰지 않고도, 삶은 비교적 꽤 평탄하게 잘 흘러갈 수 있다고 믿는다. 꼭 거창한 무언가를 이루지 않더라도 존재만으로 충만한 삶이 있으니까. 그 자체로 충분해지는 것, 현재를 만족하는 것, 스스로의 마음을 미워하지 않는 것……. 스스로의 삶을 아껴주는 일도 조금은 필요하니까. 그런 날도 있었으면 하니까.

지금보다 더 완벽하지 않아도 괜찮아.
더 나아지지 않아도 괜찮아.

짧은 소설

사랑의 궤도

하얀 눈이 집앞 마당에 소복히 쌓여있다. 가늠할 수 없는 날씨에 외투의 변화조차 심해지는 계절의 순간이었다. 유영과 마당에 놓인 작은 벤치에 나란히 앉아 있었다. 고즈넉한 아침의 눈이 휘날리는 순간을 한참동안 함께 바라봤다. 유영은 하얗게 변해가는 풍경 속의 우리를 그리며 웃고 있었다. 나는 그런 유영의 모습을 아주 오랫동안 바라봤다. 추위 때문인지 유영의 볼에 빨간 홍조가 가득 올라와 있었다. 나는 그 순간을 기억하고 싶어서 유영의 모습을 필름카메라에 담았다. 사진 속 유영은 고요하게 반짝거렸다. 좋아하는 일을 하는 유영의 모습이 누구보다 강하고 찬란해보였다. 그 모습을 오랫동안 볼 수 있었으면, 그날의 나는 속으로 생각했다.

유영은 풍경을 그리는 일을 좋아했다. 어릴 적엔 단순히 미술을 잘하는 것 같아서 시작했는데, 어느 순간부터 그림을 그리는 일이 무엇보다 좋아졌다고 했다. 지금 와서 생각해보면 그 순간의 선택이 여전히 꿈만 같다고 이야기 했다.

유영은 하나의 그림을 매듭짓고 나면 거실 한 켠에 전시해 두는 습관이 있었다. 하나의 작품을 위해서도 수많은 시간을 공들여야 하기 때문이라고 말했다. 고작 완성했다는 이유만으로 보이지 않는 곳에 바로 보관을 해버리는 건, 자신의 그림에 대해 배려가 없는 일처럼 느껴진다고 했다. 유영은 그림도 좋았지만, 그 일을 하는 자신이 무엇보다 가장 마음에 든다고 했다. 나는 그런 유영이 누구보다 멋져보였다. 그 여운 속에 머무를줄 아는 유영의 모습이 아름다웠다. 나도 언젠가 유영처럼 무언가에 몰두할줄 아는 사람이 될 수 있었으면 좋겠다고 생각했다. 유영과 가까이 있을수록 그 마음이 더 자라났다.

유영의 그림은 대체적으로 어두운 색감이 강했다. 채도가 밝은 색감을 쓰는 작업보다 검은색 같이 짙고 흐린 색감의 배경을 더 자주 그렸다. 나는 왜인지 유영의 그림들이 유영의 자신을 표현하는 것이라는 생각이 들었다. 작가의 작품은 그 사람의 세계를 공유하는 것이라는 것이라고 했다. 나는 유영에게 그림에 대해서는 더 자세히 묻지는 않았다. 무언가를 정의내리지 않고, 더 자유롭게 그 일을 사랑하기를 바랐다. 나는 유영과 있을 때면 누군가를 소중히 대하는 방식에 대해 더 자세히 배워갔다. 유영을 사랑하지만, 사랑한다는 이유만으로 그 사람의 공간을 침범하는 일은 있으면 안 되는 거니까. 그렇게라도 유영을 조금 더 아껴주고 싶었던 것일지도 모른다.

유영과 산책을 나간 참이었다. 도로를 힘껏 비추고 있는 가로등 아래에서였다. 새벽의 공기가 뼈가 시릴 정도로 차가웠다. 우리에게 더 진한 겨울이 오고 있다고 생각했다. 그때 유영의 얼굴을 바라봤다. 나는 유영을 사랑하면서도 유영이 무슨 생각을 하고 있는지까지는 다 알 수 없었다. 유영이 말하지 않으면, 무슨 고민이 있는지 조차 난 알 수 없었다. 혼자 삼키는 날들이 많아질까봐 걱정이 됐다. 나는 우리가 함께 있을 때 만큼은 그러지 않기를 바랐지만, 우리 사이에 힘든 대화를 털어놓는 일은 거의 없었다. 속마음을 먼저 드러내는 일은 언제나 드물었다.

그날따라 유영의 표정은 평소보다 어두웠다. 하나의 고민이 유영을 괴롭힌다고 단정짓기엔 꽤 많이 복잡해보였다. 나는 유영이 걷는 산책길의 거리를 오랫동안 같이 걸었다. 유영은 시간이 얼마나 흘렀는지도 모른채, 날이 밝을 때까지 계속해서 걸었다. 나는 아무 말 없이 유영의 뒤에 있었다. 아무것도 묻지 않았다. 아무런 마음도 묻지 않았다. 그저 유영이 먼저 쏟아내는 날까지 조용히 기다릴 뿐이었다. 그런 날이 자꾸만 쌓여갔다.

어느 날 내가 유영에게 대뜸 물었다.

유영아.

유영은 나를 힐끗 쳐다봤다.

너는 나랑 이야기하는 게 좋지 않아?

좋아. 당연한 거잖아.

그런데 왜 힘든 건 말하지 않아?

유영은 한동안 아무 말이 없었다. 나는 그런 유영을 또 기다렸다. 생각이 정리될 때까지 옆에 있었다. 유영의 산책길을 뒤따르던 그날처럼.

좋은 얘기도 아니니까.

유영은 눈 앞에 있는 접시 위에 가만히 있는 모닝빵을 한 조각씩 찢으며 말을 했다. 머릿속에 많은 생각을 두게 될 때마다 나오는 유영의 습관이었다. 나는 유영이 일부러 그러는 게 아니라는 것을 잘 알고 있었다. 그래서 더 이상은 아무런 말도 나오지 않았다. 나는 그 애가 아니어서, 그 애의 마음을 함부로 단정지을 수가 없었다. 네가 그래서 그런 거일 것이라고, 그래서 그런 거였다고 함부로 생각할 수가 없었다.

사랑한다고 해서 네 마음을 함부로 짐작하고 싶지는 않았다.

적어도 유영 앞에서는 그랬다.

하얀 눈이 공중에서 아래로 거침없이 쏟아지는 계절이었다. 하늘을 향해 후, 하고 불면 포슬한 입김이 뭉쳐 나왔다. 두꺼운 겉옷을 입지 않고서는 바깥을 돌아다닐 수가 없었다.

어느 날 뜬금없이 유영이 나를 보며 말했다.

사랑은 솔직하게 하는 게 아니래. 그만큼 없어지는 거래. 내가 주는 만큼 내가 사라지는 거래. 그런 일을 우리는 계속하고 있대. 사랑이 뭔지도 모르면서.

류가 그래?

걔는 나랑 제일 친하잖아. 너보다도 오래 봤고. 난 그 말들이 자꾸 생각이 난다? 솔직히 걔만 보면 사랑이 쉬워보여. 막 해도 사랑 같고.

난 네가 무슨 말을 하는 건지 모르겠다.

그냥 그렇다는 거야.

나는 자꾸만 유영이 사랑의 감정은 원래 어려운 것이라고 말하는 것처럼 들렸다. 유영이 그런 말을 하니까 혼란스러웠다. 언젠가 유영이 사랑에 대해 얘기하던 날은 있었지만, 함부로 정의하듯 얘기를 한 적은 없었다. 더군다나 내가 류를 좋게 생각하지는 않는다는 것을 알고 있는 유영이었으니까. 그런데도 왜 사랑 얘기를 하면서 류에 대한 얘기를 꺼내는 걸까. 그 얘기를 듣는 사람이 왜 나여야 하는 걸까. 사랑이라고 다 어려운 것도 아닌데, 다 쉬운 것도 아닌데.

과연 유영에게 나는 어느 쪽일까.

유영과 나 사이에 류가 비집고 들어오는 순간은 없었으면 좋겠다고 생각했다. 류는 유영에 대해 나보다도 더 많은 것을 알고 있는 오래된 소꿉친구였고, 가끔씩 내가 없을 때마다 집에 자주 놀러오던 애였으니까. 그렇게 친한다고 이야기를 하면서 한 번도 나에게 실제로 보여주지는 않았다. 내가 없을 때만 그 애를 만나거나 데리고 왔다. 난 그게 싫었다. 류에 대한 칭찬을 자꾸만 하는 게, 류에 대한 이야기를 자꾸만 꺼내는 게. 어쩌면 유영이 나와 있을 때보다 류에게 더 솔직한 모습을 하고 있을 것 같아서 안달이 났다. 유영이 류를 생각하는 마음이 사랑과는 먼 감정이라는 것을 알고 있었지만, 자꾸만 화가 나고 서러웠다. 그래서 무시하고 싶었다. 유영과 사귄지 얼마 지나지 않았을 때, 우리 사이에 류가 있는 게 거슬려서 더 이상 류에 대한 이야기는 듣고 싶지 않다고 유영에게 말했었다. 그 때부터였을까? 유영과 나 사이에 진지한 이야기를 나누는 것 조차 소원해진 게.

숨을 한 번씩 가다듬을 때마다 내 앞에 있는 유영의 표정은 더 완고해져가는 것만 같았다. 내 마음을 알면서도 이 상황을 반복하는 이유는 뭘까. 우리에게 이런 일이 생겨야만 하는 걸까. 항상 위기는 원하지 않는 순간에 찾아온다. 유영과 있을 때 만큼은 피해가고 싶었는데. 유영을 사랑할수록 더 내 마음처럼 되지 않는 것이, 사랑의 오래된 숙명을 가득 닮아있는 것 같다고 그날 나는 생각했다.

유영이 아침밥으로 모닝빵을 따뜻하게 데워서 내 앞으로 가져다 줬다. 나는 지금은 별로 먹고 싶지 않다고 말했고, 유영은 그 모닝빵을 나 대신 자신의 입으로 넣었다. 나는 그런 유영을 지나쳐 냉장고에서 오렌지 주스 하나를 꺼내들었다. 살짝 투명한 갈색빛의 유리컵에 목만 축일 수 있을 만큼만 따라 마셨다. 왜인지 모르게 액체 말고는 아무것도 먹고 싶지 않았다.

유영이 뜬금없이 말을 걸었다.

지금이 지겨워졌어?

그런 거 아니야.

그런 게 아니면?

정말 그런 게 아니었다. 나는 단지 평소와 다르게 모닝빵이 먹고 싶지 않을 뿐이었고, 오늘은 오렌지 주스가 먼저 먹고 싶을 뿐이었다. 나도 왜 평소와 다른 기분이 들었는지 이유를 알 수가 없었다. 그래서 나는 이 행동을 유영에게 설명할 수가 없었다. 그저 유영이 내 마음을 오해하기라도 할까봐 무서웠다.

아침이라 거북할 뿐이야. 아무 의미 없어.

정말 그런 거지?

아무것도 아니야.

유영이 컵에 물을 따르며 말했다.

요새 우리 보면 흐르는 물 같이 느껴져.

우리는 한 해가 지나갈 때마다 위기가 찾아왔다. 마치 누가 정해놓기라도 한 것처럼 반복됐다. 그럴 때마다 유영과 나는 그 순간을 침묵으로 대신했다. 대화의 단절이 아무것도 해결해주지 않는다는 것을 알면서도 상황을 해결할 용기가 나지 않았다. 나는 내가 어떤 말을 꺼내면 유영과 나의 거리가 멀어지는 것만 같아서 가끔은 무서웠다. 왜일까. 어디서부터 잘못된 걸까. 나는 유영을 사랑하는데. 유영도 나를 사랑하는데. 서로가 여기 있는데도, 사랑이 계속 여기 있는데도 겁부터 났다. 언제나처럼 잘 지나갈 수 있을 거라고 믿어야만 했다. 그것 말곤 도무지 용기가 나지 않았다.

유영은 나에게 그림도 언젠가 낡는다고 했었다. 아무리 관리를 해주더라도 어딘가에 내놓는 순간 그 작품은 훼손될 가능성이 일 퍼센트라도 존재한다고 말했다. 그렇게 유영은 그림과 사랑을 자주 동일시 했다.

유영은 혼자 고민이 생길 때마다 자꾸만 방 안으로 들어갔다. 그러고선 반나절이 지나도 문 밖으로 나오지 않았다. 나는 그런 유영을 한참동안 기다렸다. 반 즈음 감긴 눈으로 소파에 기대 유영을 기다렸다. 자정이 지난 시간이 되어서야 유영이 문 밖으로 나왔다. 나는 아무렇지 않은 척하며 미소를 지었다. 그럼 유영은 아무 일도 없었다는 듯이 내 옆에 앉았다. 이상한 게 없을 정도로 익숙한 일이었다. 상황은 더 익숙해져가고, 내 마음에는 이상함이 겉도는 느낌이 들었다. 해결할 수 없는 문제가 자꾸만 겹겹이 쌓인다. 유영도 느끼고 있을까. 차라리 나만 느꼈으면 좋겠다. 유영까지 알아버려서 우리의 거리가 더 멀어지는 일은 없었으면 좋겠다.

유영이 나를 사랑하고 있다는 것을 알고 있는데도, 자꾸만 우리가 멀어지는 기분이 들었다. 같은 공간에 있는데도, 내 옆에 있는데도, 무슨 고민이 있는지, 무슨 힘든 일이 있는지 말해주지 않고 혼자 방 안으로 들어가는 유영을 볼 때마다 심리적으로 멀어지는 느낌이 자꾸만 들었다. 하지만 그게 우리의 사랑을 멈추게 하는 이유는 될 수 없었다. 그게 아니면 우리는 완전하다 여겼고, 무슨 일이 있어도 우리 사이를 갈라놓을 수 없다고 생각했다. 유영을 생각하는 내 마음은 그정도로 완전했다.

완전하고도 강인한 모양이었다.

무엇도 겁낼 필요가 없었다.

유영은 마음이 심란할 때마다 그림을 더 자주 그렸다. 그럴수록 색감은 더 차가워졌다. 그럴수록 내 안의 공허함도 자꾸 커져만 갔다. 사랑하는데도 보이지 않는 느낌. 곁을 내어주지 않는 느낌. 유영은 한 번도 나에게 사랑한단 말을 하지 않았지만, 그런데도 나는 너를 사랑하고 있다고 열심히 말했다. 나는 유영에게 더 많이 주고 싶어서 더 많이 사랑한다고 말했다.

사랑이란 감정은 모순적인 걸까. 내가 유영을 이렇게 보고 있고, 유영도 내 옆에 있는데, 그 사이에 사랑한단 말이 없어서 사랑을 의심하기도 한다니. 그저 이게 사랑일 수도 있는데. 어떤 말이 존재하지 않아도 우리가 사랑하고 있는 거일 수도 있는데. 어떤 침묵은 사랑을 대신할 수도 있는데.

사랑해, 라는 말이 없어도 나는 유영을 사랑하고 있다.

내 마음에 병이 날 것만 같았다.

오늘은 유영이 거실로 나와 바다가 담긴 배경을 그렸다. 평소보다 조금 더 거친 느낌으로 그리는 것처럼 보였다. 무언가에 몰두하는 유영의 표정을 보는 게 좋았다. 유영의 손엔 파스텔 가루가 잔뜩 묻어 있었다. 다가가서 유영의 그림을 조금 더 가까이 봤다. 나는 그림에 대해 잘 알지는 못하지만, 유영의 그림을 자주 봐서 그런 건지 마음대로 해석할 수는 있었다. 유영의 그림을 볼 때마다, 백지에 있는 그림이 단순한 풍경이 아니라 유영이 그 안에 꼭 존재하는 듯한 느낌이 들었다. 그러다 보면 그 그림에 대해 더 알고 싶어졌다. 왜인지 유영이란 사람보다 유영의 그림이 조금 더 솔직한 느낌이었다.

나는 유영에게 다른 말로 물었다.

너는 바다가 왜 좋아?

한치의 망설임도 없이 유영이 대답했다.

끝이 없으니까.

너무 거창하기만 한데.

영원하다 여기면 끝이 없어.

우리는 그런 터무니 없는 대화들을 항상 했다. 누군가는 뭐라할 테지만, 우리는 필요한 대화야, 라고 말하는 것처럼. 나는 그런 대화라도 좋았다. 무엇보다 이런 꿈 같은 이야기를 유영과 할 수 있다는 게.

어느 날 유영은 류를 잠깐 만나고 왔다고 했다. 처음엔 이해해 보려고 했지만 시간이 갈수록 점점 화가 났다. 분명 내가 신경이 쓰인다고 했는데 왜 말도 없이 다녀온 걸까. 하지만 그렇다고 솔직하게 말할 수가 없었다. 유영도 내가 싫어한다는 것을 알고 있을 테니까. 알고 있는 것을 유영에게 또 말하면 유영이 싫어할 것만 같았다. 나는 내가 화가 나고 서운한 와중에도 유영의 마음을 먼저 생각하려고 했다.

그날 이후로 유영은 류에 대해서 자주 이야기 했다. 우리 둘의 이야기보다 류에 대해 이야기할 때마다 더 신나보였다. 류는 나보다 더 어려운 애야, 이번에 류가 애인 생겼대, 헤어졌대, 류가 내 그림 보러 오고 싶대, 그런 필요 없는 것들. 나는 그런 이야기라면 듣고 싶지 않았다. 나는 그런 것보다 유영의 마음이 궁금했다. 유영은 나보다 류가 더 중요한 걸까. 그게 아닐 수도 있는데도 왠인지 모르게 화가 나고 답답하고 서운했다. 그럴 거면 류를 만나지, 왜 나를 만나는 거지, 그런 유치한 마음이 들었다.

예고 없이 비가 쏟아진 날, 현관문 열리는 소리가 들렸다. 유영이었다. 평소보다 현관문 닫히는 소리가 길게 느껴지더니 뒤에 다른 사람이 따라 들어왔다. 류였다. 류는 나에게 민망하다는 듯이 고개를 숙여 인사했고, 유영은 같이 오는데 비가 쏟아져서 우산을 빌려주려고 잠시 들어왔다고 둘러댔다. 다행히 더 특별한 일은 일어나지 않았다. 그렇게 류가 우산만 가지고 돌아갔다. 현관문 앞엔 유영과 나만 서있다. 이상한 공기가 맴돌았다. 유영도 느꼈는지 머쓱한 듯 거실로 걸어갔다. 나는 더 이상은 참을 수가 없었다. 앞뒤 말도 생각하지 않고 유영에게 화를 냈다. 너는 나를 어떻게 생각하는 거냐고. 우리가 오래 만난 건 맞지만 이렇게 행동해도 되는 거냐고. 너는 나랑 연애를 하고 있는 게 아니냐고. 그런데도 이렇게 나를 함부로 대해도 되는 거냐고. 유영은 일부러 그런 건 아니었다며 미안하단 말 한 마디만 내뱉고 방 안으로 들어갔다. 그러고선 내가 소파에서 잠들 때까지 나오지 않았다. 이제는 정말 유영에게 내가 어떤 존재인지 모르겠다. 분명 우리는 서로에게 서로 뿐이었는데 언제 이런 거리가 생긴 거지. 우리가 모르는 서로의 감정들이 늘어만 갔다. 나는 그게 정말 너무 비참했다.

아무래도 이런 마음으로는 유영을 좋은 시선으로 바라볼 수는 없을 것 같았다. 나는 유영을 사랑하지만, 유영은 나만큼은 아닌 것 같아서. 준 만큼 받아야 하는 게 아닌 걸 아는데도, 비교하게 되고, 혼자 울게 되고, 의심하게 되고, 마음을 더 달라고 바라게 되는 것 같아서. 이런 모습으로 누군가를 사랑하고 싶지는 않았다. 그 상대가 유영이길 바라지도 않았다.

답답한 마음으로 유영에게 물었다.

너한테 나는 어느 정도나 돼?

무슨 말이야?

사랑의 크기나 정의, 뭐 그런 거.

어려워도 계속하는 거지. 사랑하니까.

날 얼마나 사랑하는지 모르겠어, 지금도.

……꼭 그걸 설명해야만 아는 거야?

너는 나한테 사랑한다고 말하지 않잖아.

나는 유영의 얼굴을 보고 싶지가 않았다. 볼 수가 없었다.

나한테 솔직하지도 않고.

유영은 내 쪽으로 몸을 돌리며 대답했다.

너도 그래.

내가 왜?

……나만 그랬을 거라고 생각하지 말라고.

한참동안 침묵이 이어지다 유영이 말을 이었다.

나는 이제 못하겠어.

무슨 소리야?

사랑이 너무 어려워.

나는 유영의 말을 이해할 수가 없었다. 그 많은 시간을 함께 했는데 이제 와 사랑이 어렵다니. 사랑한다는 말도 어렵고, 사랑을 하는 것도 어렵고, 사랑 안의 자신도 어렵게 느껴진다고 했다. 나를 그만큼만 사랑한다는 것처럼 들렸다. 나는 어떤 말보다 사랑이 어렵다는 문장을 어떻게 이해해야 할지 몰랐다. 유영의 감정이 잠깐이라도 내 것이 되었으면 좋겠다. 내 마음대로 온 구석을 바꾸어놓고 싶다. 하지만 그럴 수가 없다. 사랑을 하면서 사랑이 어렵다는 유영에게 할 수 있는 말이 있을까. 여기서 내가 유영에게 사랑한단 말을 더 할 수가 있을까. 아직도 난 너를 사랑해, 라는 말이 소용이 있을까. 여력을 다하지 못하는 문장은 쓸모가 없다. 잠깐의 고요가 오랫동안 이어지는 기분이 들었다.

유영은 그렇게 말하고 나한테 시간을 가지자고 했다. 우리가 아무리 서로를 사랑해도 서로의 모든 것은 알 수 없는 거라면서. 너와 나의 마음이 언제나 같을 거라고 생각하지 말라면서. 정말 자신만 솔직하지 못했는지 생각해보라면서. 서로의 생각이 정리될 때까지 유영은 류의 집에서 지내겠다고 했다. 나는 그러라고 했다. 더 이상 만류하고 싶지 않았다. 그런 마음이 들지 않았다.

나는 유영 없이도 잘 지내려고 했다. 혼자 영화도 보고, 책도 읽고, 장을 보러 가고, 산책도 나가고, 그런 흔한 것들을 아무렇지 않게 이어나가려고 했다. 다만…… 계속 허전했다. 있어야 할 게 없는 느낌. 무언가를 하고 있는데도 하고 있지 않는 느낌. 몸을 움직이고 있는데도 가만히 가라앉는 느낌이 자꾸만 들었다. 내게 가장 중요한 것을 잃어버린 느낌이었다. 사랑하는 유영이 곁에 없다는 게 가장 서러웠다. 아프고 애달픈 나날들이 쌓여갔다.

그렇게 유영 없이 두 달을 혼자 보냈다. 유영이 거실에 꺼내 두었던 그림엔 먼지가 앉았고, 나는 그 애가 미운데도 그 작은 먼지 한톨마저도 신경이 쓰였다. 유영이 돌아오지 않아도 나는 유영을 끊임없이 떠올렸다. 나보다 류가 중요해지면 어떡하지, 유영은 그럴 애가 아니야, 걔는 그래도 나야, 그러다가도 더 이상 집에 돌아오지 않을까봐 두려워졌다. 걔가 나를 버리기라도 할까봐 쓸데없는 겁이 났다.

아침에 모닝빵을 데워먹는데 유영이 생각났다. 유영은 항상 모닝빵 두 개를 예쁘게 반으로 갈라 가져다 주었는데, 나는 유영처럼 반듯이 잘라지지 않아서 짜증이 났다. 다 먹어갈 때 즈음 유영은 항상 내게 오렌지 주스가 먹고 싶진 않냐고 물었었는데. 오늘은 혼자 유리컵에 따라 마셨다. 접시 위엔 모닝빵 한 개가 남았고, 오렌지 주스도 목을 적실 정도만 마시고 버렸다. 그러다 또 유영 생각이 났다. 유영이 집에서 떠나기 전 나에게 했던 말들이 자꾸만 떠올랐다. 솔직한 게 유영뿐만이 아니었다면 나도 솔직하지 않았다는 건가? 나는 너를 사랑하기 때문에 참고, 기다리고, 옆에 있을 뿐이었는데, 내가 솔직하지 않았다고? 나랑 싸우는 걸 원하지 않을 것 같아서 항상 참았는데 너만 그런 게 아니라고? 마음 안에서 수많은 질문들이 피어올랐다. 몇 개의 폭죽이 터진 건지 가늠할 수 없을 정도였다. 끝나지 않는 불꽃놀이가 시작된 기분이었다. 그때 나는 모든 게 갈라지는 것 같았다. 이 관계에서 솔직하지 않은 사람은 유영일 수도 있었지만, 솔직하지 않았다고 서운해 하고, 마음을 더 주지 않았다고 덥썩 화를 내고, 그 사이에서 우리는 서로를 사랑하고 있는 거냐고 묻는 바로 나 자신일 수도 있었는데. 유영의 존재 하나가 아니라 어쩌면 우리 둘일 수도 있었는데. 사실은 내가 겁이 나서 도망가고 회피했던 거면서, 용기가 나지 않아서 가만히 있는 것을 택했던 거면서.

그럼 나는 어떤 불행을 선택한 거지.

또 어떤 구렁텅이에 빠져버린 거지.

또 어떤 불행 앞에 도착하게 된 거지.

그날 이후로 나는 유영이 집에 돌아오기만을 기다렸다. 이 문제가 해결되지 않고 이어졌던 이유는 결국 내가 자주 도망가서였다고, 네가 나에게 솔직하지 못했다고 질타했지만, 결국 나 또한 너에게 솔직하지 못했다고, 네가 너무 보고 싶었다고, 그렇게 말하고 싶었다. 어떤 이유들 보다도 그저 유영과 함께 있고 싶은 마음이 제일 컸다. 폐인처럼 씻지도 않고 유영만을 기다렸다. 내 시간만 멈춘 느낌이었다. 유영이 없는 동안 유영의 마음과 조금 가까워졌다 생각했는데, 아무리 기다려도 오지 않을 때마다 유영과 또 다시 멀어지는 기분이 들었다.

단념과 체념 사이를 오갈 때 즈음 유영이 현관문을 열고 들어왔다. 나는 소파에서 벌떡 일어나 유영 앞으로 빠르게 걸어갔다. 유영은 나를 지긋이 바라봤다. 나도 유영을 지긋이 바라봤다. 모든 게 변하지 않아야 했다. 우리가 떨어져 있었다고 해서 변하는 건 말이 안됐다.

유영의 두 손엔 장을 한 가득 보기라도 한 듯 장바구니 두 개를 꽉 쥐고 있었다. 아무렇지 않게 신발을 벗고 들어와 냉장고를 정리했다. 이상할 정도로 유영은 아무 말도 하지 않았다. 현관에서 눈을 마주친 뒤로 나의 눈을 한 번도 보지 않았다. 마음이 이상했다. 나는 계속 유영이 보고 싶었는데, 유영은 아닌가 보다. 그 마음이 이 공기를 계속해서 뾰족하게 만들었다.

유영은 냉장고 정리를 다하고서 씻고 나왔다. 수건으로 젖은 머리카락을 터는데 바닥으로 물방울이 여러 개 떨어졌다. 유영은 나한테 어떻게 지냈냐고 물었다. 나는 유영에게 그간의 생각들을 숨김없이 솔직하게 말했고, 유영은 그런 나의 말을 끊지 않고 다 들어줬다. 오랜만에 느끼는 감정이었다.

유영도 내게 말했다.

도망가서 미안해.

사랑이 어렵다는 건 무슨 뜻이었어?

말 그대로야. 나는 여전히 너무 어려워. 사랑이 어려워. 사랑이 뭔지도 모르겠어. 그래서 널 사랑하는 게 어려워. 나조차도 나를 대하기 어려운데 너를 어떻게 대해야 할지…… 가늠이 잘 안 돼.

나는 유영의 말을 듣고 있는데도 내 마음을 유영에게 말하고 있는 것 같았다. 호흡을 크게 내쉬었다. 동시에 내 손을 만지작 거렸다. 혹시라도 유영과 끝나기라도 할까 봐 두려워 하는 내 마음이 유영에게 전달될 것 같아서 손톱으로 내 살을 꾹꾹 눌렀다. 유영에게 이 마음만큼은 들통나지 않기를 바랐다.

나는 내 궤도를 다시 완성시킬 수 있을까. 다시 조각내지 않을 수 있을까. 내 세계를 찾자고 네 세계를 무너뜨리는 건 아닐까. 그게 너무 무서웠다. 이 마음이 우리에게 또 상처를 줄까 봐 망설여졌다.

완고하고 단단한 말투로 유영이 말을 이었다.

아무런 걱정도 안 하면 좋겠어.

무슨 말이야?

내가 너를 너무 사랑한다는 뜻이야.

유영은 그런 말을 아무렇지 않게 하면서 내 머리카락을 쓰다듬었다. 그리고 천천히 내 손가락을 만지작거렸다. 나는 눈물이 왈칵 날 것 같았다. 모든 게 다 내 잘못 같아서, 내 착각으로 인해서 모든 게 무너질 것이라고 생각했었으니까. 내가 사랑하는 유영을 내가 멀리 보낸 것만 같아서 괴로웠으니까. 입으로 밥을 먹는데도 흙을 주워담는 기분이 들었다고는 말할 수 없었다. 유영도 나와 똑같이 불행했을 테니까. 똑같이 흙을 먹는 기분이었을 테니까.

그날 나는 마치 사랑해, 라는 말을 살면서 처음 들은 사람처럼 돌아다녔다. 나는 유영의 그 말이 어떤 순간이 와도 너만을 사랑해, 라는 말처럼 들렸다. 그건 영원한 내 착각일지도 모르지만, 그 잠깐은 자꾸만 영원을 꿈꾸게 한다. 어쩌면 영원을 꿈꾸게 하는 일은 맹목적인 사랑에서 오는 것일지도 모르겠다. 사랑은 어떤 착각도 하게 하니까. 어떤 기쁨도, 어떤 괴로움도, 어떤 추락도 당연하게 주지만, 그 사람이 없으면 안 될 것 같은 마음이 그 부가적인 것들을 결국 이긴다. 어떤 불가항력적인 것들을 이긴다. 사랑은 그렇게나 강하다.

나에게 유영은 어떤 하루든 살게 만들었다. 또 다른 날을 이겨내게 했다. 그정도로 유영과 함께 있는 순간순간이 소중했다. 네가 없는 난 어땠었지, 어떤 삶을 살았었지. 지난 시간이 모두 생각 나지 않을 정도로 완벽했다. 유영은 내게 그 정도였다. 어쩌면 어떤 순간이 와도 너만을 사랑해, 라는 말은 내가 유영에게 하고 싶은 말일지도 몰랐다.

유영아.
나한테 겁나는 건, 네가 영영 없는 거야.
네가 영영 내 곁에서 사라지는 거야.
더 이상 아무것도 중요하지 않아.
내가 널 사랑한다는 사실만,
네가 날 사랑한다는 사실만 그렇게 알고 있자.

사랑의 궤도가 다시 시작되고 있었다.

◎

하민아.

너를 사랑해, 라고 말하고 싶을 때가 있었어.

낡아서 사라지는 게 있다면 그건 형체일까, 형상일까. 고작 시간이 흐른다는 이유만으로 우리의 마음이 처음과 달리 변해가고 있다고 말할 수 있는 걸까? 그걸 어떻게 시간이 증명할 수 있을까. 지나가버린 시간이 현재의 마음마저 단념하게 둘까 봐 두려워. 그런 게 사랑이라면 난 아직 사랑이 뭔지 모르겠어. 그래서 여전히 사랑을 어려워하는 것도 같고.

너는 항상 류를 꺼려했지. 또 류 얘기를 꺼내서 미안해. 그래도 설명은 해야 할 것 같아서. 내가 류를 잘 따랐던 이유는 네가 오해하는 사랑도, 마음도, 동경도 아니라 그저 걔가 하는 사랑 방식을 닮고 싶었어. 나는 늘 사랑을 어렵게 생각했잖아. 그 애 방식을 내 것으로 옮겨오고 싶어서 늘 그 애를 자주 관찰했던 것 같아. 미리 이야기 했다면 상처받지 않았을 텐데. 서툰 마음으로 너를 대해서 미안해.

여전히 사랑이 뭔지 모르고 어렵지만, 그럼에도 난 네가 너무 좋다. 한결 같은 눈빛으로 사랑을 말하는 네가. 어떻게 이렇게까지 좋은 사람처럼 날 대할 수 있을까. 네 마음에 보답하려면 난 얼마나 더 많은 시간을 돌아야 할지 모르겠어. 하지만 어떤 일말의 모자람도 없이 너를 대할게. 내 사랑을 의심하게 두지 않도록 열렬히 너를 사랑할게.

우리의 궤도는 계속 될 테니까.
사랑의 궤도에는 끝이 없으니까.

나는 네가 아니면 안 돼.
사랑해, 하염없이.

유영 씀

여름밤

여름의 기운이 한창인 7월의 계절이었다. 초록 잎사귀가 둘러져 있는 담벼락엔 좋아하는 능소화가 잔뜩 피어있다. 며칠 전까지만 해도 애꿎은 장마에 저벅한 길을 걷는 것조차 부산스럽게 느껴지던 시기였는데. 장난스럽게 회사가 다 무너져버렸으면 좋겠다고 생각하며 퇴근하는 지하철에 올라탔다. 그때 휴대폰이 울렸다. 그건 바로 수였다.

수와 처음 만난 건 아는 언니의 꽃집을 들러 작은 화분 하나를 고르고 있을 때였다. 나는 집 안에 식물을 들이는 일을 좋아했고, 몇 개를 집 안에 들여 가꾸는 일로 공간에 대한 만족감을 느끼는 편이었다. 그래서 언니의 꽃집에 자주 들렀다. 그날도 평소처럼 집에 어울릴 식물을 찾고 있었다. 그때 수가 문을 열고 들어왔다. 언니는 가족처럼 수를 반갑게 맞이했고, 문 앞에 서 있는 수를 내 옆으로 데려와 소개했다. 얼떨결에 우리는 서로에 대한 간단한 정보를 공유했다. 언니는 저번에 너랑 결이 비슷하다고 말했던 애가 수야, 라고 전하며 수랑 친하게 지냈으면 좋겠다는 듯 말을 이었다. 언니와 가까운 사람이라면 큰 거부감이 들지 않았고, 그래서인지 수랑도 가까이 아는 사람으로 잘 지내고 싶었다. 수도 그런 것을 거부하지 않는 성격인 것처럼 보였다. 그렇게 다음에 시간 되면 보자는 식으로 말을 하고 헤어졌다. 그게 내가 기억하는 첫 만남이었다.

얼마 지나지 않아 퇴근하는 지하철 안에서 수에게 연락이 왔다. 그렇게 수를 다시 만났다. 수라는 사람을 다시 볼 수 있게 된 건 사람이 많은 번화가의 작은 엘피바 앞에서였다. 그곳은 내가 좋아하는 곳이기도 했지만, 수도 친구를 따라 와봤던 기억이 있다고 했다. 나는 평소처럼 나쵸 하나와 무알콜 칵테일 하나를 시켰고, 수도 나와 똑같은 것을 먹어보고 싶다고 말했다. 몇 입씩 들이키고 며칠 동안 잘 지냈냐는 어색한 안부만을 전하다 보니 처음에 걱정했던 어수선한 공기는 조금씩 사그라져가고 있었다.

수는 신기하게도 나와 동갑이었고, 지방에서 오랫동안 살다가 올라와 영화 음향감독 일을 조금씩 도와주고 있다고 했다. 그 일도 처음부터 쉬웠던 건 아니라고 했다. 제대로 아는 것 하나 없이 뛰어든 일이라 온갖 난무한 일은 다 겪었다고 말했고, 믿고 따르던 선배의 회사가 휘청거릴 때 많은 직원들 사이 가장 먼저 사직을 권유받았다고 했다. 물론 지금은 어느 정도 일에 대한 경험이 많아진 탓에 불러주는 곳이 많아졌고, 처음의 자신보다 지금의 자신이 좀 더 자랑스럽게 느껴진다고도 얘기했다.

나는 수의 눈을 천천히 올려다보며 물었다.

놓고 싶을 때도 있지 않아?

수는 의아한 표정을 하다 찰나의 고민도 없이 말했다.

모르겠어. 그래도 이 일을 할 때 가장 나 같아서.

어떻게 보면 나는 당연한 말이었는데도 그 말의 의미를 스스로에게서 찾지 못해 오랫동안 허무했던 건 아닐까. 돈과 시간에 여유로워지기 위해서, 스스로 당당한 사람이 되기 위해서 쉴 새 없이 헐떡였던 지난날들이 좋아하는 일의 도전을 위한 발판이 될 수 있는 값진 경험들이었나. 사실 모든 시간들이 그랬다고 말할 수 있는 것인진 잘 모르겠다. 무엇을 위해, 무엇을 이루고자 이러한 시간들을 빼곡하게 보내왔는지……. 수가 던진 잠깐의 말은 오랫동안 헤매고 있던 며칠 밤의 고민들의 정답을 순식간에 결정 내려주고 말았다.

수와 있는 시간이 금방 흘러가버릴 것 같은 아쉬운 기분이 들었다. 주체할 수없이 일렁이는 마음을 수와 있을 때마다 자꾸만 진정시켰다. 나는 나와 비슷하면서도 다른 면이 뚜렷한 수가 멋있었다. 신기할 정도로 음악 취향이 비슷했고, 술을 잘하지 못해 무알콜을 즐겨먹는 것 또한 같았다. 시간이 남을 때마다 작은 독립서점의 책을 보러 가는 습관도 같았다. 일생에 취향이 비슷한 사람을 이런 식으로 우연하게 마주치는 일은 언제나 드문 일이었다. 조금씩 나이를 먹을 때마다 더 깨달았다. 비슷하지만 달라서 존경하게 되는 수의 모습들. 단숨에 닮고 싶게 만들었던 수의 일부는 참 다양했다. 본인이 좋아하는 일을 선택해 그것이 제 스스로 좋아하는 일임을 깨닫는

확고함, 순간의 선택을 자랑스럽게 여기는 당당함, 행동으로 옮기기 전엔 꼭 많은 생각을 하는 습관 덕에, 후회를 잘 하지 않는 성격의 견고함. 나와 비슷하지만 너무나 다른 사람. 수와 내가 더 가까워진다면 나는 어떤 사람으로 변화할 수 있을까. 아주 잠깐의 생각이었지만 괜히 더 궁금해졌다. 한편으론 수와 다른 내 삶이 하찮게 느껴질 때도 있었지만, 그럼에도 불구하고 수와 조금 더 많은 것을 나눌 수 있기를 바랐다.

쉴 새 없이 이야기를 나누는 시간 동안 수는 필요하지 않은 말과 감정은 설명하지 않는 사람이라는 것을 알았다. 굳이 필요하지 않은 반응까지 하며 스스로를 속이는 나와는 달랐다. 어찌 됐든 나는 수가 어떤 일을 하는 사람인지, 어떤 삶을 살아왔는지, 어떤 삶을 살고 싶은 사람인지에 대한 이야기들을 듣는 게 신기함이 들 정도로 좋았다. 나와 다르면서도 비슷한 그 애의 모습은 내가 살아온 생의 일부분들을 빛나게 하고, 끄덕이게 하고, 정답을 쥐어주게 하고, 끝도 없는 절망이 어디로 도망갔는지도 알 수 없게 만드는 기분을 들게 했다. 아주 찰나지만, 나는 그 찰나의 상상이 현재의 불안을 다 잊게 만들 만큼 충만했다.

우리는 북적거리는 공간을 좋아하진 않는 탓에 언제나 한적하고 조용한 곳으로 발길을 옮겨 다녔다. 사람들의 왕래가 많이 없는 거리의 분위기를 자주 즐겼다. 그곳에선 수의 목소리만 들렸다. 수의 이야기를 수의 목소리로 듣는 것이 좋았다.

을지로 안의 구석진 골목길에는 수와 자주 가는 엘피바도 생겼다. 자연스럽게 들어가 수와 나만 아는 노래들을 여러 개 신청하고 나면, 우리는 그 노래의 선율에 따라 조용히 대화했다. 가끔은 수와 좋아하는 음악을 함께 듣는 순간이 현실 같지 않을 때가 있었다. 너무나 꿈만 같은 날들. 이렇게나 안온한 여름밤이 계속 지속되기를 마음 속으로 간절히 바랐다.

나는 더운 날씨에 거리에 나오는 것을 그다지 좋아하지 않았다. 휴일이면 선풍기 앞에 누워있는 게 가장 낙이라고 느꼈다. 그럼에도 수 앞에서는 모든 게 무모해졌다. 지속적으로 보내는 무더위 경고 문자에도 마다하지 않고 수를 보러갔다. 무모한 짓이라고 생각했던 행동을 수 앞에서는 항상 했다. 수가 사는 빌라의 계단을 얼마나 오르고 다녔는지 가늠할 수가 없을 정도였으니까.

수가 좋아하는 엘피를 몰래 선물해준 날. 육교 위에 누워 밤하늘의 별을 세던 날. 서늘한 골목 안에서 무서운 괴담을 나누던 날. 약간의 술만 먹어도 얼굴이 빨개지던 수를 놀리던 날. 옥탑방의 옥상에서 서로가 좋아하던 노래를 함께 듣던 날. 한참 동안 내 고민을 듣고서는 수가 울던 날. 그러곤 나를 안아주던 날. 나는 그런 날들이 자꾸만 쌓여갈수록 내가 수를 생각하는 마음이 다른 방향인 건지 헷갈렸다. 그럴 일은 없어야 하는데. 내가 수를 존경하는 마음이 언젠가부터 다른 마음이 되어가고 있는 느낌이 들었다. 동시에 나는 그게 사랑하는 마음인 건지 헷갈렸다. 누군가를 온전히 사랑한다는 일이 어떤 건지 몰랐다. 사랑한다는 게 어떤 건지도 몰랐다. 하지만 수를 생각하는 내 마음이 단순한 호기심이라고 하기에는 뭔가 달랐다. 평소의 나와 너무나 달라서 스스로가 낯선 기분이 들었다. 스스로에게 낯선 사람이 된 것 같은 그런 느낌이 지속되고 있었다.

모든 마음이 질주하기 시작한 순간은 언제일까. 과연 알아낼 수 있는 마음일까. 혼란스러운 기운에 오랫동안 허덕거린 나머지 수와 만나지 못한 지도 거의 몇 주가 지나버렸다는 사실을 그제야 깨달았다. 나는 급하게 수의 전화번호를 누르고 문자를 보냈다.

뭐 하고 있어?

너 기다리고 있었어.

수의 다정한 말들은 자꾸만 나를 헷갈리게 한다. 그 애의 다정함이 모든 다짐을 무너뜨리는 게 신기했다. 하지만 나는 이런 내 행동마저도 이해할 수 없는 이상한 기시감이 들었다. 이것이 사랑하는 마음인 것 같아서? 아마 믿고 싶지 않았던 것도 같다. 한 번 인지해 버린 뒤로 나도 모르게 힘껏 피어낸 마음의 깊이는 종잡을 수없이 자리를 잡아갔다. 그러다 보면 언젠가부턴 수의 눈을 똑바로 바라보는 일마저도 어려운 일이 되기도 했다. 이유 모를 기시감. 그것은 수를 생각하는 내 마음에 괴리감을 주기에 충분했다. 사랑과는 거리가 먼 감정이길 바라는, 어쩌면 내가 만든 두려움일지도 몰랐다.

나는 수의 문자에 답장을 하지 못했다. 내 마음이 확실해지지 않기를 바랐고, 당장 수를 만나면 내 마음이 완전해질까봐 더 무서웠다.

어느 날 갑자기 수는 말없이 우리 집에 왔다. 왜 왔냐고는 물어보지 않았다. 그 이유를 알 것 같았기 때문이었다. 창밖으로는 제 스스로의 속도도 이기지 못한 채로 불어오는 바람이 열심히 허덕거린다. 금방이라도 비가 쏟아져 내릴 것만 같다. 수는 아무 말도 없이 소파에 앉아서 나를 본다. 나는 그런 수의 눈길을 의식하지 못한 사람처럼 창밖을 주시했다. 잠깐의 정적을 유지하다 수는 물었다.

무슨 일 있는 건 아니지?

답답해하면서도 나를 걱정하기만 하는 그 애의 마음이 다 느껴졌다. 나는 수에게 어떤 말을 해야 할지 몰랐다. 이렇게 계속 가만히 있을 수는 없는 일이라는 것을 안다. 정적이 길어지면 결국 모든 것을 다 설명해야만 하니까. 수에게 어떤 말부터 해야 할까.

나는 수의 눈을 쳐다보지 않고 말했다.

생각할 게 좀 있었어.

어떤 생각?

있어. 이것저것.

나랑 얘기 안 할 거야?

모르겠어.

너는 내 마음 몰라.

뭐라는 거야.

나도 네 마음 모르고.

당연하지.

내일 날씨 맑다던데.

이제 더 더워지겠다.

그럼 집에서 놀자.

됐어. 당분간 너 못 만나.

내가 너네 집으로 올게.

못 만난다니까.

왜 이렇게 나한테 까칠해.

몰라. 마음이 이상해.

내 마음도 이상해.

무슨 소리하는 거야, 자꾸?

자신을 어이없게 바라보는 나를 한참 동안 바라보던 수는 그 정적을 깨고 말을 했다. 자신도 이게 무슨 마음인 건지 모르겠지만, 그 와중에도 계속 생각나는 게 너여서 여기를 왔다고. 그런데 네가 나를 계속 이렇게 대하면 너무 속상해서 어떻게 있어야 할지를 모르겠다고. 나는 네 앞에서 자꾸만 안 하던 행동도 하게 된다고. 그러니까 너도 무슨 말이라도 해달라고. 어떤 설명을 하지 않아도 괜찮으니까 지금처럼 서로를 차갑게 대하지는 말자고.

나는 수와 내 마음 같을 거라고 생각해본 적이 없다. 애초에 그런 마음을 기대한다는 게 웃겼다. 내 마음에 너를 두고 있다고 말하는 일은 상상할 수가 없었다. 내 마음이 그렇다고 해서 네 마음을 기대하는 건 사랑 앞에서 우스운 감정이겠지. 나는 그걸 잘 알고 있었다. 하지만 수의 입에서 나온 말은 명백히 마음 안에서 나오는 문장이라고 생각했다. 어떤 기대도 다 필요 없다고 생각했는데. 그건 나에게 과분한 마음 같다고 생각했는데. 내가 모르는 수의 모습은 과연 어디까지인 걸까.

수와 동이 틀 때까지 서로의 마음에 대해 떠들었다.

수는 말했다.

처음 봤을 때부터인 것 같아.

처음 봤을 때?

마음이 이렇게 된 거 말이야.

수, 그건 좀 심하다. 처음부터 반했다는 거잖아.

농담하는 수가 귀여워서 수의 어깨를 치며 웃었다.

수는 진짜라니까, 너는 아무것도 몰라, 하며 넌스레 웃었다.

나의 수는 여름보다 더 여름 같아서 한 번 시작되면 어쩔 때는 멈출 줄을 몰랐다. 어쩌면 나는 계속해서 이어지는 마음의 속력을 억지로 멈추지 않았으면 좋겠다고 나도 모르는 사이에 다짐했는지도 모른다. 기껏 해봐야 눈앞에 뚜렷이 보이는 건 완전한 두려움이었을 텐데도. 그 두려움을 이길 수 있을지에 대한 마음은 항상 불분명했는데도. 수가 없는 여름 속에 있는 건 어떤 기분일까. 하지만 지금의 나에겐 아무것도 중요하지 않아졌다. 내 곁에 수가 있다는 것. 내가 수의 곁에 있다는 것. 그것만으로 충분했다. 수가 없는 찰나를 잃는 일은 영영 생기지 않기를 바랐다.

Q. 사랑에 정답이 있다고 믿나요?

당신이 생각하는 '사랑'의 정의를 풀이해주세요.

–